A GRANDE IMAGFRIF

LE PÉTROLE

WITHDRAWN

Conception
Jacques BEAUMONT

Texte
Cathy FRANCO

Mise en page et illustrations
Jacques DAYAN

FLEURUS

FLEURUS ÉDITIONS, 15-27, rue Moussorgski, 75018 PARIS
www.fleuruseditions.com

L'OR NOIR

Le pétrole suintant à la surface (sous la forme d'une substance appelée bitume) est utilisé depuis très longtemps à des fins diverses. Mais ce n'est qu'au XIXe siècle que l'on commence à le puiser dans le sous-sol et que son exploitation devient industrielle. Source d'énergie incontournable, dont dépend notre société moderne, matière première essentielle à la prospérité des nations, le pétrole est devenu au cours du XXe siècle une richesse convoitée, qualifiée d'or noir, pour laquelle les pays consommateurs se livrent une concurrence acharnée.

Premières utilisations

Dès l'âge de pierre, les chasseurs se servent du bitume visqueux qui aff[leure] à la surface pour coller les pointes [de] leurs flèches. Cette substance perm[et] aussi dès la plus haute Antiquité de calfater les navires (rendre leur coque étanche). En Mésopotamie, le bitume [est] employé comme matériau de construc[tion]. Dans l'Égypte ancienne, on l'utilise, mélan[gé] à d'autres substances, pour la momification (1). Les Romains, eux, lui prêtent d'innombrables vertus médicinales. Au Moyen Âge, les Byzan[tins] l'utilisent comme arme incendiaire : une sorte de lance-flammes projette un mélange de bitume, de soufre et de chaux vive enflammé sur les navires ennemis (2).

Du pétrole lampant

Dès le Xe siècle, au Moyen-Orient, un savant décrit comment distiller le pétrole (séparer ses composants) pour obtenir une huile d'éclairage, mais ce procédé reste artisanal. Au XIXe siècle, cette huile, appelée pétrole lampant, peut être produite en grandes quantités. La lampe à pétrole fait son apparition. Mais pour développer ce marché, il devient important d'aller chercher le pétrole à sa source, sous la terre. En 1858, l'avocat new-yorkais George Bissell engage un ancien cheminot, Edwin L. Drake, pour réaliser un forage dans la vallée d'Oil Creek, en Pennsylvanie.

Un forage historique

Edwin L. Drake a l'étoffe d'un pionnier. Aussi, quand George Bissell lui propose de forer un puits à Titusville, en Pennsylvanie, où suinte naturellement le pétrole, il n'hésite pas un seul instant. L'homme commence à forer au printemps 1859 avec un matériel emprunté à l'extraction du sel en profondeur. Le 27 août, alors que le puits atteint 21 m de profondeur, l'outil de forage se retrouve coincé dans une crevasse. Drake arrête le travail. Le lendemain, c'est la surprise : au fond du puits brille une mare noire. En atteignant la crevasse, le foret a libéré une poche de pétrole. Ce forage historique va déclencher une véritable ruée vers l'or noir. Dès lors, la lampe à pétrole remplace partout la bougie ou la lampe à huile (de baleine, notamment).

La ruée vers l'or noir

quelques mois, Titusville et sa région se
uvrent de derricks, ces tours de forage
coiffant les têtes de puits. Chacun, du
rospecteur à l'aventurier, vient tenter sa
ance et chercher la fortune. En dix ans,
rès de six mille puits sont forés dans la
région. Le pétrole est stocké dans des
barils en bois (le baril est devenu depuis
l'unité de mesure du pétrole).

*Un baril
(= 159 litres)*

Des villes construites de toutes pièces
surgissent en un temps record près des
gisements. Par exemple, en à peine six
mois, la ville de Pithole compte vingt mille
habitants ! On y trouve une cinquantaine
d'hôtels, deux bureaux de poste,
deux banques, trois églises, un théâtre,
une ligne de chemin de fer. La ville
est complètement abandonnée
deux ans plus tard, quand
le gisement est épuisé.

La ville de Pithole en 1865

*Un champ de pétrole
en Californie (1900)*

L'avènement de l'automobile

a fin du XIXe siècle, l'ampoule électrique amorce
le déclin de la lampe à pétrole. Mais un autre
ébouché va permettre au pétrole une
croyable reconversion : l'automobile,
ui bénéficie du développement du
oteur à explosion. La première voiture
pétrole voit le jour en 1884. Au début
du XXe siècle, on commence à
construire les voitures en série.

Une Ford T de 1923

7

L'empire Rockefeller

En 1863, John D. Rockefeller, un jeune entrepreneur de 24 ans originaire de Cleveland, investit son argent dans l'achat d'une raffinerie. En 1870, il crée la société Standard Oil, qui parvient en quelques années à contrôler près de 90 % du raffinage et du transport pétrolier dans tout l'est des États-Unis. Mais Rockefeller n'en reste pas là et se lance dans la prospection et la production. La Standard Oil est désormais omniprésente sur toute la chaîne pétrolière. Sa suprématie est telle qu'en 1911 un procès ordonne sa dissolution et son éclatement en trente-quatre sociétés distinctes.

Le célèbre milliardaire John D. Rockefeller (1839-1937) a bâti sa fortune sur le pétrole.

La mainmise de la Standard Oil sur toute la chaîne du pétrole inspire les caricaturistes de l'époque (illustration de 1904).

Une demande croissante

Avec l'essor fulgurant des transports, du chauffage domestique et de la pétrochimie dans les années 1920, la demande en pétrole ne cesse de croître. La compétition entre les grandes puissances pour l'accès aux ressources pétrolières bat son plein. Les compagnies pétrolières se multiplient et exploitent des gisements dans le monde entier.

Affiche publicitaire de 1926 de la Shell, compagnie d'origine britannique et néerlandaise, vantant les mérites des huiles de moteur.

Descendante de l'une des 34 sociétés issues de l'éclatement de la Standard Oil, Mobiloil est, dans les années 1920, l'une des plus grandes compagnies pétrolières au monde.

À qui appartient le pétrole ?

Le sous-sol appartient le plus souvent aux États. Les compagnies pétrolières leur achètent des concessions (un permis de recherche et d'exploitation à l'intérieur d'une zone délimitée par l'État). Les frais engagés par la compagnie sont remboursés en parts de production. Le reste de la production est partagé entre l'État, qui s'en réserve la plus grande part, et la compagnie.

La création de l'OPEP

Dans la première moitié du XXe siècle, les compagnies pétrolières dictent souvent leur loi aux pays exportateurs et fixent les prix du brut. En 1960, les principaux pays producteurs de pétrole, essentiellement situés au Moyen-Orient, constituent l'OPEP (Organisation des pays exportateurs de pétrole) afin de pouvoir contrôler la production et influer sur les prix du pétrole brut.

GUERRE ET PÉTROLE

Du pétrole pour faire la guerre

La Première Guerre mondiale puis la suivante ont pour effet d'accroître considérablement la demande en pétrole. Il faut en effet pouvoir ravitailler les nouveaux engins de guerre (chars d'assaut, avions de chasse, bombardiers, sous-marins). Le pétrole devient un facteur clé de la victoire. Très vite, il conditionne les stratégies mises en œuvre pour vaincre l'ennemi. On s'attaque aux raffineries des pays que l'on combat pour les priver de carburant. Durant la Seconde Guerre mondiale, Hitler veut s'emparer du pétrole du Caucase, mais les Soviétiques préfèrent brûler leurs infrastructures. Les carences en approvisionnement de l'armée allemande ont contribué à la victoire des Alliés en 1945.

Guerre et crise du pétrole

Le pétrole peut devenir une arme de guerre lors d'un conflit. C'est ce qui a eu lieu en 1973. Une guerre oppose la Syrie et l'Égypte à l'État d'Israël. Les pays arabes de l'OPEP interrompent leurs exportations de pétrole vers les pays occidentaux qui soutiennent Israël. Le prix du baril passe de 3 à 11,75 dollars ! On parle, pour définir cette brutale et vertigineuse flambée des prix, de « choc pétrolier ». Aux États-Unis, en Europe de l'Ouest, de longues queues se forment aux stations-service, l'essence étant rationnée.

La guerre pour le pétrole

Le pétrole est au cœur des conflits qui agitent la région du golfe Persique depuis la fin du XXe siècle. En 1990, le dictateur irakien Saddam Hussein envahit le Koweït, accusant ce pays d'avoir puisé dans ses puits de pétrole en pratiquant des forages déviés (qui bifurquent à l'horizontale ; voir p. 14). Cette invasion est condamnée par l'O.N.U., l'Organisation des Nations unies, qui autorise le recours à la force pour libérer le Koweït. Plusieurs nations se mobilisent pour repousser les Irakiens. En partant, ces derniers incendient les puits de pétrole koweïtiens (voir image).

D'OÙ VIENT LE PÉTROLE ?

Comme le charbon et le gaz, le pétrole fait partie des énergies fossiles, c'est-à-dire qu'il a mis des millions d'années à se former. Il tire son nom du latin « petrae oleum », qui signifie huile de pierre, et prend naissance dans les profondeurs de la Terre. On l'imagine souvent sous forme de grandes nappes liquides dans le sous-sol, alors qu'en réalité il imprègne des roches dites poreuses, constituées de parties solides et de petits espaces, les pores, dans lesquels il s'infiltre. Mais pour qu'un gisement puisse se former, il faut que certaines conditions soient réunies.

Comment se forme le pétrole ?

1 - Il y a des millions d'années, la mer recouvre bien des régions qui sont aujourd'hui émergées. Des restes d'organismes vivants (plantes, poissons, plancton) se déposent sur le fond et se décomposent en une boue, le kérogène qui se mêle aux sédiments (boue, sable, graviers) charriés par les fleuves. Cette couche s'épaissit, durcit et forme la roche-mère, où vont se développer le pétrole et le gaz.

Kérogène

Pétrole et gaz

Schiste bitumineux

Les formes du pétrole

Le pétrole est surtout extrait sous sa forme liquide. Les sables bitumineux sont un mélange de sable, d'argile, d'eau et de bitume visqueux. Ces dépôts, proches de la surface, sont de plus en plus exploités ces dernières années dans des mines à ciel ouvert (voir p. 27). On peut aussi obtenir du pétrole à partir des schistes bitumineux, des roches souterraines contenant du kérogène (voir paragraphe « Comment se forme le pétrole ? »). Mais leur exploitation est actuellement peu rentable et très polluante : après extraction de la roche, il faut chauffer le kérogène et le transformer en pétrole par un procédé appelé pyrolyse, dans une enceinte privée d'air, à une température de 450-500 °C.

Pétrole liquide

Sable bitumineux

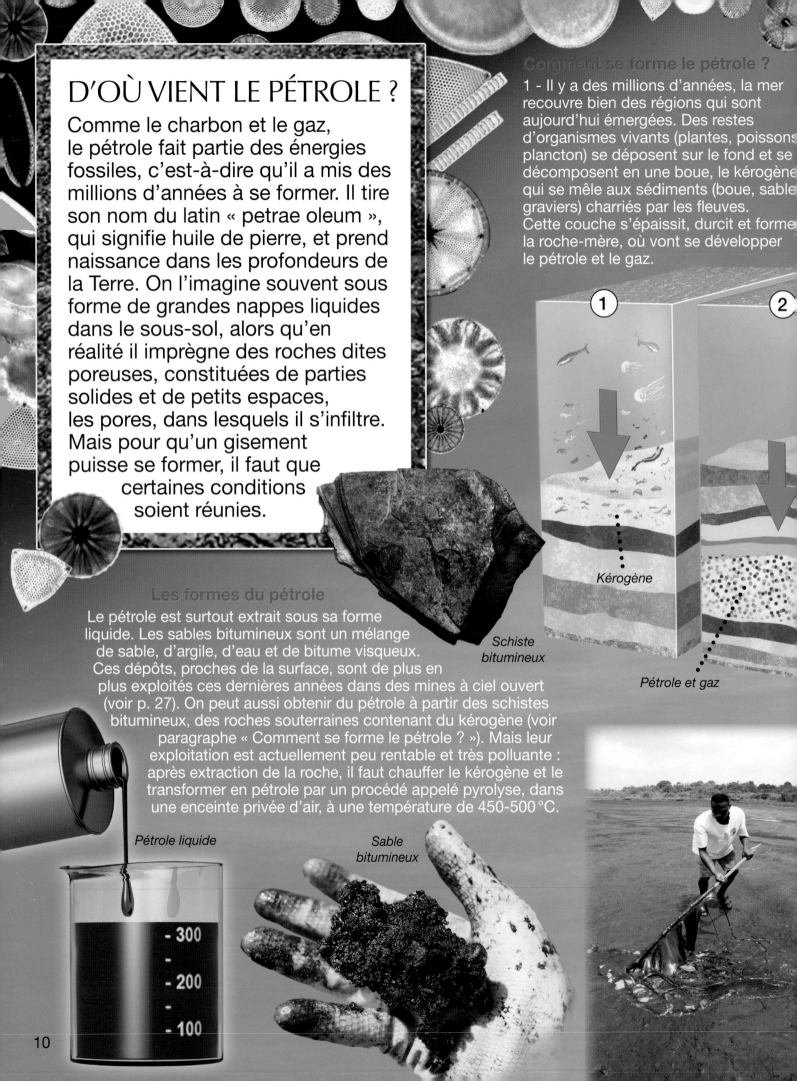

2 - Au fil du temps, la roche-mère s'enfonce dans les entrailles de la Terre, comprimée par le poids des sédiments qui s'accumulent au-dessus d'elle. Entre 2 200 et 3 800 m de profondeur, sous l'effet de la chaleur intense et de la pression, le kérogène se transforme en une substance liquide, le pétrole. Entre 3 800 et 5 000 m, ce liquide passe à l'état gazeux et donne du gaz naturel.

3 - La pression devenant de plus en plus grande, le pétrole et le gaz s'échappent de la roche-mère et remontent vers la surface de la Terre à travers les roches poreuses et perméables. S'ils ne rencontrent aucun obstacle, ils continuent leur migration vers le haut. Le pétrole peut ainsi affleurer en suintant à la surface. Quant au gaz, il se volatilise.

La transformation de la matière organique en pétrole prend en moyenne 60 millions d'années !

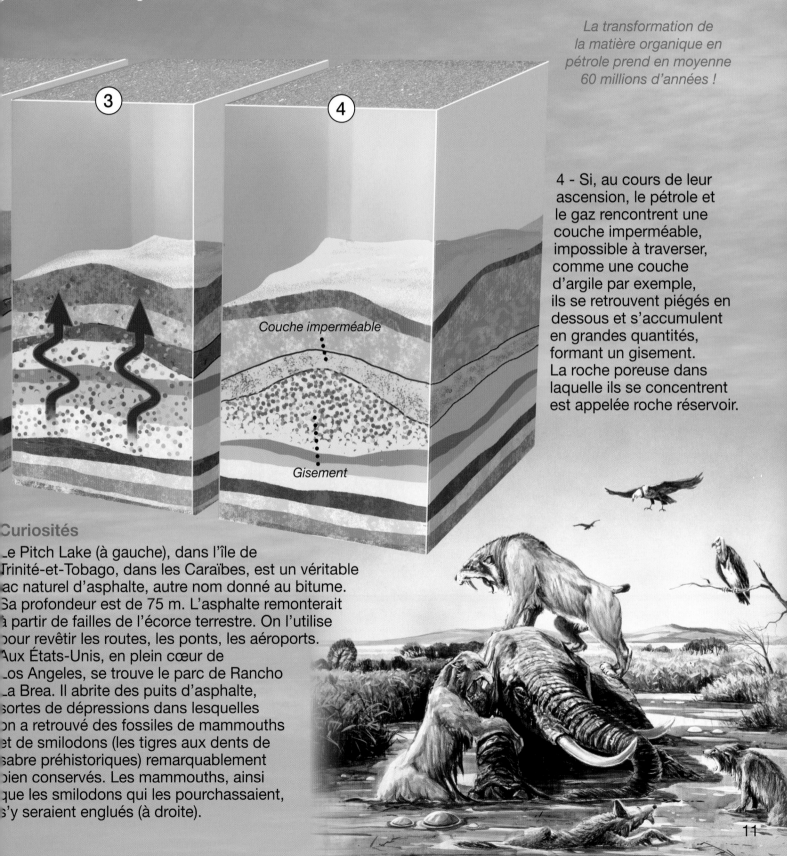

4 - Si, au cours de leur ascension, le pétrole et le gaz rencontrent une couche imperméable, impossible à traverser, comme une couche d'argile par exemple, ils se retrouvent piégés en dessous et s'accumulent en grandes quantités, formant un gisement. La roche poreuse dans laquelle ils se concentrent est appelée roche réservoir.

Couche imperméable

Gisement

Curiosités

Le Pitch Lake (à gauche), dans l'île de Trinité-et-Tobago, dans les Caraïbes, est un véritable lac naturel d'asphalte, autre nom donné au bitume. Sa profondeur est de 75 m. L'asphalte remonterait à partir de failles de l'écorce terrestre. On l'utilise pour revêtir les routes, les ponts, les aéroports. Aux États-Unis, en plein cœur de Los Angeles, se trouve le parc de Rancho La Brea. Il abrite des puits d'asphalte, sortes de dépressions dans lesquelles on a retrouvé des fossiles de mammouths et de smilodons (les tigres aux dents de sabre préhistoriques) remarquablement bien conservés. Les mammouths, ainsi que les smilodons qui les pourchassaient, s'y seraient englués (à droite).

11

TROUVER DU PÉTROLE

Le pétrole se situe au cœur de formations géologiques particulières, les bassins sédimentaires, de vastes cuvettes où se sont accumulés des résidus organiques et minéraux. On trouve ces bassins sous la mer ou dans des régions autrefois recouvertes par la mer. Différentes techniques permettent aujourd'hui de repérer précisément un gisement et de savoir s'il contient assez de pétrole pour être exploité. C'est le travail des géologues et des géophysiciens, les spécialistes de la Terre.

La prospection pétroliè

Elle commence par l'observation de la surface d sol. Les géologues utilisent pour cela des photographies aériennes et des images satellite. L'aspect de la surface (plissements, failles...) peut en effet donner de bonnes indications sur les roches profondes et leur disposition. Les géologues se rendent ensuite sur le terrain pour préleve des échantillons qui les renseignent sur la composition des roches et leur âge.

Camions vibreurs

Pour étudier le sous-sol et repérer un éventuel gisement, on utilise des camions vibreurs. Ces derniers émettent des ondes vers le sous-sol grâce à un dispositif, placé sous leur châssis, qui frappe le sol jusqu'à 80 fois par seconde.

Les ondes générées rebondissent sur les différen couches rocheuses et leur écho est transmis à ur batterie de capteurs en surface. Le temps que me cet écho à remonter renseigne sur les propriétés physiques des roches traversées. On peut donc les identifier mais aussi connaître leur profondeur

La prospection en mer

Pour trouver du pétrole sous la mer, on utilise des bateaux spéciaux qui font le même travail que les camions vibreurs sur terre. Les ondes de choc, puissantes, traversent l'eau sur toute sa profondeur, ainsi que le sous-sol. Leur écho est recueilli par des hydrophones, des capteurs traînés derrière le bateau (en rouge sur l'image ci-contre).

es recherches magnétiques

e magnétisme est la force invisible
ui fait bouger l'aiguille des boussoles
u s'attirer deux aimants. Certaines roches
nt moins magnétiques que d'autres, comme
s roches sédimentaires, susceptibles d'abriter du
étrole. Pour les repérer, des recherches sont effectuées
bord d'avions équipés d'un appareil appelé magnétomètre,
ui détecte et enregistre les variations du champ magnétique
e la zone survolée.

Camions vibreurs

Précieux ordinateurs

Une fois que les camions vibreurs ont fait
eur travail, les signaux recueillis en surface
ar les capteurs sont traités par de puissants
ordinateurs, qui restituent des images du
ous-sol en deux ou trois dimensions. Il faut
s géologues très savants pour les interpréter.
Elles mettent en évidence la structure du
sous-sol et permettent de localiser de
possibles poches de pétrole (sous une
roche en forme de dôme, par exemple).

Le forage d'exploration

Lorsque les études suggèrent une grande
probabilité de trouver un gisement,
on effectue un forage d'exploration.
Des échantillons cylindriques, appelés
carottes, sont prélevés (ci-dessus).
Si cette carotte est pleine de pétrole,
on sait qu'on a atteint un gisement.
Les carottes permettent en outre d'évaluer
et d'estimer ainsi la quantité de pétrole
présente dans la roche réservoir.

FORAGE ET EXTRACTION

La plupart des forages ne dépassent pas 3 000 m de profondeur, mais certains peuvent atteindre 4 000, voire 6 000 m (soit 18 tours Eiffel superposées !). Le forage est un travail rude. Les équipes se relaient 24 heures sur 24 pour atteindre le gisement, progressant de quelques mètres par heure. C'est à partir d'un derrick, une tour métallique d'une trentaine de mètres, qu'est foré le puits dans lequel descend le matériel de forage.

Comment fore-t-on un puits ?

À partir du derrick, des tiges de forage (de longs tubes métalliques) mises bout à bout vont guider le trépan, l'outil de forage, dans sa progression jusqu'au gisement. De la boue est injectée dans les tiges pour éviter que le trépan ne chauffe trop. Cette boue, propulsée très violemment sur la roche à mesure que le trépan creuse, remonte à l'extérieur des tiges vers la surface, entraînant avec elle les débris du forage.

Le derrick est la tour qui supporte l'équipement de forage.

Bassin de décantation

Les forages déviés

Un gisement de pétrole n'est pas toujours accessible. Il peut se trouver sous des formations rocheuses, un lac ou une zone urbanisée qu'il est préférable de contourner. On pratique alors un forage dévié dans la direction souhaitée (ci-dessous). En mer, pour éviter de déplacer des plates-formes, on pratique plusieurs forages déviés, en éventail, à partir d'un même emplacement.

1. De la boue est injectée dans le train de tiges (les tiges mises bout à bout).

2. La boue chargée de déblais remonte vers la surface (en marron sur le dessin).

3. Elle rejoint un bassin de décantation, où elle est filtrée avant d'être réinjectée dans le gisement.

Tige

Formé de dents en acier, le trépan attaque la roche en tournant et la broie en mille morceaux. Si la roche est vraiment très résistante, on remplace le trépan par un outil de forage d'un seul bloc, serti de diamants, qui permet de casser les roches les plus dures.

Gisement de pétrole

L'« arbre de Noël »

Le pétrole, qui est sous pression dans son gisement, remonte souvent naturellement à la surface une fois le puits de production foré. On démonte alors le derrick et on coiffe la tête de puits d'une lourde pièce munie de vannes, destinée à contrôler le débit du pétrole. Ce dispositif est appelé « arbre de Noël » en raison de sa forme de l'heureux événement auquel il est associé : un forage réussi !

Un arbre de Noël

Les pompes à balancier

Lorsque la pression du pétrole diminue et que celui-ci remonte moins naturellement à la surface, on utilise des pompes à balancier pour l'aspirer (ci-dessous). On injecte aussi de l'eau sous pression dans la partie inférieure du gisement pour pousser le pétrole vers le haut.

Ci-dessus, les ouvriers positionnent une tige de forage au-dessus du puits.

Les tiges de forage sont stockées sur le côté du derrick. Ce dernier permet leur manipulation verticale et leur descente dans le puits.

La durée moyenne d'exploitation d'un gisement est de 15 à 30 ans mais peut se prolonger au-delà de 50 ans si les réserves sont importantes.

Un tiers du pétrole mondial provient de gisements sous-marins. Le forage se pratique comme sur terre, avec un matériel identique (derrick, train de tiges, trépan), sauf que celui-ci est installé sur une plate-forme qui doit être suffisamment robuste pour résister aux pires tempêtes. Une fois la nappe de pétrole atteinte, la plate-forme de forage est remplacée par une plate-forme de production où le pétrole est extrait et traité (débarrassé de l'eau et des gaz qu'il contient) puis acheminé vers la côte par navire ou par oléoduc.

Plusieurs types de plates-formes

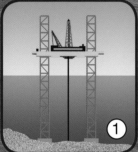

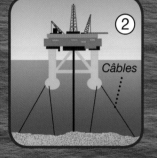

Câbles

Tige de forage

1. La **plate-forme autoélévatrice** se pose sur le fond (jusqu'à 100 m de profondeur) grâce à des piliers extensibles.
2. La **plate-forme semi-submersible** est flottante. Elle est utilisée jusqu'à une profondeur de 2 500 m, ou quand le sol est trop mou ou trop instable pour y enfoncer des pieds. Des câbles, ancrés au fond de la mer, la maintiennent au-dessus du trou de forage.
3. Pour forer en eaux profondes (jusqu'à 3 000 m d'eau et plus), on utilise des navires qui sont maintenus au-dessus du trou de forage grâce à un ordinateur qui commande en permanence les moteurs et les hélices.

Le transport des plates-formes

Les plates-formes sont construites à terre. Certaines sont remorquées par des bateaux jusqu'au lieu de forage ou d'exploitation. Pour les grandes traversées, il existe même des navires géants qui les transportent (à gauche). Sur le lieu de forage, le navire s'immerge partiellement, libérant la plate-forme.

La vie à bord

La plate-forme d'exploitation compte plusieurs puits de production, une station de traitement du pétrole, des génératrices d'électricité, des quartiers d'habitation, un héliport... Un hélicoptère assure le relais des équipes tous les 15 jours. La plate-forme fonctionne 24 heures sur 24. Le personnel travaille 12 heures par jour. Pour se distraire, il dispose d'un gymnase, d'une salle de billard, d'un espace lecture et télévision.

Les chambres, doubles ou individuelles, possèdent tout le confort moderne.

Les conditions d'exploitation en mer sont souvent difficiles en raison notamment du vent et des vagues, qui peuvent atteindre 30 m de hauteur. Les plates-formes pétrolières ont été conçues pour résister à de redoutables tempêtes, mais le risque zéro n'existe pas. Ci-dessus, la plate-forme Thunder Horse, qui s'est couchée lors du passage du cyclone Dennis en juillet 2005. Heureusement, le personnel avait été évacué à temps et les mesures de sécurité pour éviter que le pétrole ne s'échappe avaient été prises.

La maintenance

La structure des plates-formes fait l'objet d'une grande attention de la part des ingénieurs et des techniciens de maintenance pour éviter toute usure ou détérioration qui pourrait s'avérer catastrophique. La partie immergée est inspectée par des plongeurs expérimentés ou encore par de petits robots contrôlés et pilotés depuis la surface. Munis de caméras, d'instruments de mesure et de bras multifonctions, ces derniers peuvent effectuer des travaux de réparation.

Un bateau-pompe se trouve toujours à proximité. En cas de feu se déclarant sur la plate-forme, il peut lancer des jets d'eau jusqu'à 50 m de hauteur.

LE TRANSPORT DU PÉTROLE

Le pétrole est véhiculé des gisements vers les terminaux et les raffineries par des oléoducs, ou pipelines, de gros tuyaux d'environ 1 m de diamètre vissés bout à bout, ou par des navires pétroliers, aussi appelés tankers. Près de 1 million de kilomètres d'oléoducs sillonnent la planète, le plus souvent enterrés. Le pétrole y circule à une vitesse de 7 km/h grâce à des stations de pompage, situées à intervalles réguliers, qui le propulsent en avant.

Géants des mers

Un pétrolier peut transporter des dizaine de milliers de tonnes de pétrole. L'intérieu de la coque est divisé en plusieurs cuves qui contiennent chacune une partie de la cargaison. En cas d'accident, de fuite notamment, cela évite au navire de se vider complètement dans la mer.

Ces mastodontes ne so pas faciles à manœuvre Une fois lancés, ils on besoin d'au moins 10 km pour s'arrêter !

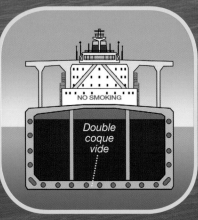

Navire chargé de pétrole

Double coque vide

Pour réduire les risques de catastrophes liées à une ou plusieurs fuites de pétrole dans la mer, les pétroliers récents sont équipés d'une double coque. L'espace entre les deux coques fait aussi office de ballast : quand le navire est chargé, cet espace est vide. On le remplit d'eau pour compenser la forte perte de poids du pétrolier lorsque celui-ci voyage à vide, et préserver ainsi sa stabilité sur les flots.

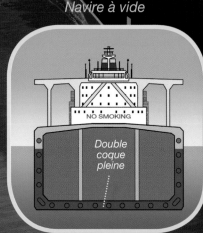

Navire à vide

Double coque pleine

Le Ti Europe, à droite, est l'un des plus grands pétroliers au monde. Il mesure 380 m de long : on pourrait y coucher bout à bout la tour Eiffel et un immeuble de 20 étages ! Sa superficie atteint celle de 4 terrains de football. Ce géant peut transporter 441 561 tonnes de pétrole.

Le Trans-Alaska a été surélevé sur une grande partie de son trajet à cause du sol gelé en permanence.

Les oléoducs

Ces immenses conduites, le plus souvent enterrées, transportent le pétrole à travers les plaines, les déserts ou les montagnes. Il y a aussi des oléoducs sous la mer, qui véhiculent le pétrole des plates-formes d'extraction vers les côtes. Le plus long oléoduc du monde est le Droujba. Il mesure plus de 4000 km et traverse de nombreux pays, du sud-est de la Russie à l'Allemagne. Le Trans-Alaska, à gauche, traverse les étendues glacées de l'Alaska sur 1284 km.

Les énormes tankers déchargent leur cargaison dans un terminal pétrolier. Ces ports doivent avoir une profondeur d'eau suffisante (environ 20 m) pour les accueillir. Le pétrole est stocké dans des cuves avant d'être expédié vers les raffineries. Ces dernières sont souvent implantées à proximité des terminaux.

Bras articulés qui pompent le pétrole sur le pont du navire

Comment décharge-t-on un tanker ?

Sur le quai du terminal pétrolier, de longs bras articulés, contrôlés par ordinateur, viennent se positionner sur des collecteurs situés sur le pont du navire. Le pétrole est aspiré et rejoint les réservoirs. L'opération prend entre un et deux jours selon le volume de liquide transporté.

LE RAFFINAGE

Le pétrole brut, tel qu'il est recueilli à la sortie du puits, ne peut être utilisé en l'état. Il a besoin d'être traité dans une usine, la raffinerie, afin d'obtenir une palette variée de produits exploitables tels que les carburants, qui alimentent les moteurs des voitures, le fioul, utilisé dans les chaudières, ou encore le naphta, matière première qui sert à fabriquer le plastique. L'unité phare d'une raffinerie est la tour de distillation, où les différents constituants du pétrole sont séparés avant d'être améliorés dans d'autres unités.

Une raffinerie

C'est un gigantesque complexe de hautes tours d'acier, de citernes de réactions chimiques, de cuves de stockage et de tuyaux. Mis bout à bout, ces derniers atteignent plusieurs milliers de kilomètres de long. Ils véhiculent le pétrole brut et ses sous-produits d'une unité à l'autre. Une raffinerie moyenne peut traiter environ 30 millions de litres de pétrole brut par jour !

Une raffinerie est un site de production entièrement automatisé. Toutes les opérations sont conduites par des ordinateurs depuis une salle de contrôle. Sur le terrain, des opérateurs surveillent les installations, règlent les vannes, font des vérifications de pression... Ils sont en contact radio avec un consoliste, un opérateur qui surveille l'unité dont il est responsable sur des écrans de contrôle. La sécurité est un élément essentiel de leur travail, le feu étant le principal danger.

Un opérateur règle l'ouverture des vannes.

20

La tour de distillation

Haute comme un immeuble de 20 étages, la tour de distillation est divisée en plusieurs niveaux par des plateaux horizontaux. Chauffé dans un four à 370 °C, le pétrole brut se transforme en vapeur, qui est injectée dans la tour et s'élève. Sous l'effet de la température, qui décroît à chaque niveau de la colonne, les différents constituants du pétrole se séparent. Le gaz et les produits les plus légers (comme les essences) montent au sommet de la tour, tandis que les composants les plus lourds se retrouvent à la base.

Pétrole brut

Four

Gaz

Essence

Naphta

Kérosène

Gazole

Huile

Fioul lourd

Bitume

La nuit, les raffineries sont illuminées, car elles fonctionnent 24 heures sur 24.

Les produits de distillation rejoignent d'autres unités où ils subissent différents traitements et améliorations pour être commercialisés. On les débarrasse notamment des impuretés qu'ils contiennent, comme le soufre. L'essence est traitée pour être rendue moins explosive.

Stockage et expédition

Les produits finis issus du raffinage sont stockés dans de grands réservoirs avant d'être acheminés jusqu'aux consommateurs par oléoduc, rail, route ou voie navigable. Les camions-citernes assurent le transport du fioul domestique, mais aussi des carburants pour les stations-service. Leur cuve est divisée en plusieurs compartiments (pour le sans-plomb, le gazole...). L'essence est déversée dans un réservoir situé sous le sol de la station-service. C'est lui qui alimente les pompes.

LES UTILISATIONS DU PÉTROLE

Plus de 80 % de la production mondiale de pétrole sert à fabriquer de l'énergie. Il est utilisé en majeure partie sous forme de carburants pour les transports. Le pétrole fournit en outre une remarquable matière première, le naphta, issu du raffinage, avec lequel on fabrique toutes sortes de plastiques, omniprésents dans notre vie quotidienne. Il entre aussi dans la composition du rouge à lèvres, des lessives, des engrais... ou du chewing-gum !

La production d'énergie

À lui seul, le pétrole représente plus de 90 % de l'énergie consommée par les transports ! Ci-dessus, un Airbus A380. Ce géant transporte jusqu'à 850 personnes et consomme 250 litres de kérosène par minute ! La contenance du réservoir est de 320 000 litres. L'énergie fournie par le pétrole est aussi utilisée sous forme de fioul pour le chauffage domestique et l'industrie (à droite, une centrale thermique, qui produit de l'électricité).

Du pétrole au plastique

On fabrique le plastique dans une usine pétrochimique. Le naphta, matière première issue du raffinage du pétrole, y est transformé pour obtenir toutes sortes de plastiques, aux propriétés différentes. Ces plastiques se présentent souvent sous la forme de granulés qui sont fondus et moulés pour obtenir divers objets (en rouge ci-dessus).

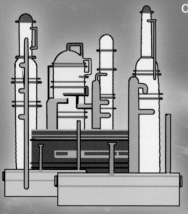

Raffinerie

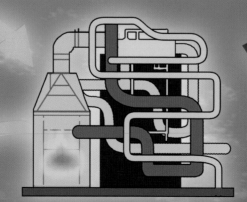

Usine pétrochimique

Usine

Des vertus médicinales

Dès l'Antiquité, on attribue au pétrole des vertus médicinales. Les recettes ne manquent pas pour soigner les rhumatismes, les maladies de peau, la toux, les brûlures d'estomac. Aujourd'hui, certaines substances dérivées du pétrole entrent dans la composition de médicaments majeurs comme l'aspirine, le paracétamol ou certains anti-inflammatoires.

Pétrole et textiles

De nombreuses fibres synthétiques, qui permettent de confectionner des vêtements, sont fabriquées à partir des composés chimiques du pétrole. C'est le cas de l'acrylique, du polyester, du Lycra. Avec le Nylon, particulièrement résistant, on fait les toiles des parachutes, mais aussi des bas pour les dames !

Belle avec le pétrole

Le pétrole est présent dans la composition de nombreux produits cosmétiques comme le rouge à lèvres, les crayons de maquillage, le mascara pour les cils ou encore certains shampooings. Les crèmes pour la peau contiennent pour la plupart un sous-produit du pétrole, la vaseline, appelée aussi gelée de pétrole.

La peinture acrylique contient du plastique sous forme de résine, mélangé à des pigments (des substances colorées).

Toutes sortes de plastiques

Il existe des centaines de plastiques différents. Le polyéthylène, à la fois souple et robuste, sert à fabriquer des bouteilles et des sacs en plastique, ou encore des films d'emballage. Les boîtes de CD et les stylos bille sont en polystyrène. Si on injecte des bulles dans le polystyrène, on obtient un matériau plus léger (le polystyrène expansé) dont on fait des gobelets jetables. Avec le PVC, on fabrique des tuyaux rigides mais également des cartes à puce. Les casques des motards, et même ceux des cosmonautes, sont en polycarbonate, un plastique très résistant aux chocs, qui entre aussi dans la composition des gilets pare-balles. Le polypropylène est solide et facile à colorer. On en fait de nombreux jouets.

LES POLLUTIONS

Le pétrole est devenu essentiel à notre mode de vie, mais il pose des problèmes environnementaux. Sa combustion rejette des produits nocifs dans l'air et une grande quantité de gaz carbonique, ce qui modifie la composition de l'atmosphère et déstabilise le climat. Les marées noires, vastes nappes de pétrole qui polluent la mer et les rivages, sont dues le plus souvent à une fuite dans les soutes d'un navire accidenté. Mais, chaque année, plus de 1 million de tonnes de pétrole sont aussi larguées volontairement dans les océans par des navires pétroliers qui nettoient leurs cuves.

Les marées noires

Elles forment de gigantesques nappes de pétrole qui dérivent au gré des courants et peuvent s'étaler sur des centaines, voire des milliers de kilomètres carrés. Les végétaux marins, qui ont besoin de lumière pour se développer (phytoplancton, algues...), meurent en masse, car les rayons solaires ne peuvent plus passer dans l'eau. Les œufs des poissons sont détruits. Baleines et dauphins ne peuvent plus venir respirer à la surface.

Les bateaux-pompes s'attaquent aux flammes qui dévorent la plate-forme Deepwater Horizon. En vain !

Une catastrophe sans précédent

Le 20 avril 2010, une explosion et un incendie se déclarent à bord de la plate-forme pétrolière Deepwater Horizon, au large de la Louisiane, aux États-Unis, faisant 17 blessés et 11 morts. Elle sombre deux jours plus tard par 1 500 m de fond, entraîna dans sa chute le tuyau qui la reliait au puits d'exploration. Le pétrole sous pression s'échappe par milliers de litres sans que les ingénieurs arrivent à contenir la fuite. En l'espace de trois mois, 780 millions de litres de pétrole (soit l'équivalent de 260 000 piscines olympiques !) se déverser dans le golfe du Mexique jusqu'à ce que l'on parvienne à bloquer le pétrole dans son gisement.

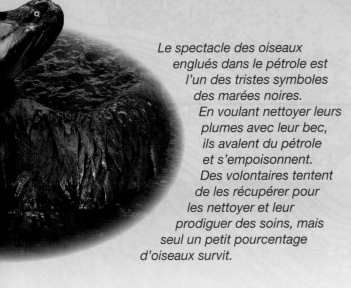

Le spectacle des oiseaux englués dans le pétrole est l'un des tristes symboles des marées noires. En voulant nettoyer leurs plumes avec leur bec, ils avalent du pétrole et s'empoisonnent. Des volontaires tentent de les récupérer pour les nettoyer et leur prodiguer des soins, mais seul un petit pourcentage d'oiseaux survit.

En 2002, le pétrolier Prestige est victime d'une tempête au cours de laquelle sa coque se fissure. Après plusieurs tentatives de remorquage, il se brise au large des côtes espagnoles. Plus de 70 000 tonnes de pétrole s'échappent du navire. Près de 3 000 km de littoral sont souillés en Espagne, au Portugal et en France.

Les marées noires constituent un véritable désastre pour l'environnement mais aussi pour les pêcheurs ou les aquaculteurs, qui vivent des produits de la mer. Cette dernière mettra des années à s'en remettre.

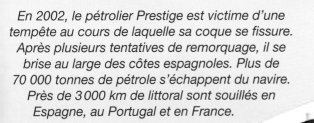

La pollution atmosphérique

Près de 800 millions de véhicules circulent sur les routes de la planète. Les avions sont de plus en plus nombreux. Or les gaz libérés par la combustion du pétrole dans les usines, mais surtout par les moteurs des véhicules, sont dangereux pour la santé et l'environnement. Chaque année, près de 10 milliards de tonnes de gaz carbonique sont ainsi rejetés dans l'atmosphère, ce qui accentue l'effet de serre : la Terre se réchauffe de façon alarmante ! Dans les grandes villes, les produits chimiques provenant des moteurs à essence, mélangés à l'air, forment, sous certaines conditions atmosphériques, un brouillard toxique.

Mexico envahi par un brouillard toxique

ET DEMAIN ?

Nous produisons et utilisons toujours plus de pétrole. Or, à plus ou moins long terme, les réserves vont s'appauvrir. Et comme les énergies alternatives ne sont pas encore près de remplacer le pétrole massivement, il importe, d'une part, d'économiser cette ressource, en tenant compte des problèmes environnementaux liés à la combustion des carburants, et, d'autre part, de rendre accessibles d'un point de vue technologique et économique de nouvelles sources de pétrole. On peut aussi exploiter plus efficacement les gisements déjà mis en production.

Optimiser la production

On n'extrait que 30 à 35 % environ du pétrole d'un gisement. Grâce à de nouveaux procédés, on peut améliorer la production des puits.

De nouveaux gisements

Il reste d'importants gisements de pétrole à décou[vrir] sous la mer notamment, à grande profondeur (supérieure à 1 000 m d'eau). Ces gisements, qui semblaient inaccessibles il y a encore ving-cinq a[ns] peuvent être exploités aujourd'hui mais nécessite[nt] des technologies adaptées aux conditions extrêm[es] forcément plus coûteuses. Du pétrole se trouve également en abondance sous la glace des zon[es] arctiques. Mais cette région abrite un écosystèm[e] fragile, déjà déstabilisé par le réchauffement climatique, qui impose des mesures spécifique[s] pour développer l'exploitation de ces réserves de manière responsable.

La fracturation hydraulique

Ce procédé permet d'extraire les hydrocarbures (pétrole et gaz) qui sont restés piégés dans la roche-mère (on les appelle gaz et pétrole de schiste). De l'eau à haute pression est injectée dans la roche, qui se fissure et libère les hydrocarbures. Ce procédé nécessite beaucoup d'eau (entre 10 et 15 millions de litres au total pour un puits). Cette eau contenant une infime quantité de produits chimiques (0,5 %), il importe de veiller à la parfaite étanchéité des puits pour éviter la pollution des nappes phréatiques. De nouveaux additifs, issus de la chimie « verte » et biodégradables, font l'objet de recherches. D'autres voies sont à l'étude pour remplacer l'eau par l'injection de gaz carbonique ou d'air comprimé.

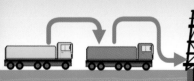

Des camions-citernes (en jaune) livrent l'eau. Un camion-pompe (en rouge) injecte l'eau à haute pression dans la roche, qui se fissure. L'eau contient aussi du sable qui permet de maintenir les fissures ouvertes. Le pétrole libéré remonte sous pression à la surface.

On trouve des sables bitumineux un peu partout dans le monde, mais le Canada possède de loin les réserves les plus étendues. Ci-dessus, l'exploitation d'un gisement de sables bitumineux dans la province d'Alberta.

Les sables bitumineux

Les sables bitumineux (voir p. 10) sont le plus souvent extraits dans des mines à ciel ouvert. Le pétrole est séparé du sable dans une usine, puis prétraité pour pouvoir être utilisé dans une raffinerie, un procédé qui consomme beaucoup d'énergie (trois fois plus de gaz à effet de serre sont produits pour obtenir un baril de pétrole à partir de sables bitumineux que dans la production classique). De nouvelles techniques utilisant l'injection de vapeur visent à séparer le pétrole du sable alors qu'il est encore dans le sol, ce qui supprime en outre l'impact environnemental des mines à ciel ouvert.

Des navires de forage en zone arctique

Économiser le pétrole

Les réserves de pétrole ne sont pas inépuisables. Il importe donc d'économiser le précieux liquide en évitant les gaspillages et en développant l'apport en énergies renouvelables. Prendre les transports en commun, acheter des fruits et des légumes de saison (plutôt que ceux provenant par avion de l'autre bout du monde), recycler les plastiques : voilà autant de façons de faire des économies de pétrole... tout en préservant l'environnement.

27

TABLE DES MATIÈRES

MDS : 661037
ISBN : 978-2-215-14177-8
© FLEURUS ÉDITIONS, 2014.
Dépôt légal à la date de parution.
Conforme à la loi n° 49-956 du 16 juillet 1949
sur les publications destinées à la jeunesse.
Imprimé en Italie (03/14).